Collection
souris
noire

dirigée par
François Guérif

L'auteur

Marie-Florence Ehret est née à Paris où elle vit toujours. Elle a pratiqué divers métiers avant et après des études de lettres et de philosophie, voyagé en Turquie, au Maroc, en Algérie, au Sénégal, au Mali, au Burkina-Faso, en Égypte. Elle se déplace aussi beaucoup en France pour mener des ateliers d'écriture.

Du même auteur

- *À cloche-cœur*
  Éditions Rageot, collection Cascade.
- *Mortel coup d'œil*
  Cascade policier.
- *Rapt à Bamako*
  Édicef. Hachette. CDL.

Marie-Florence Ehret

Vol sans effraction

Illustration de couverture
Jacques Ferrandez

souris
noire

SYROS
jeunesse

Catalogage Électre-Bibliographie
Ehret, Marie-Florence
Vol sans effraction – Paris : Syros, 2000. – (Souris noire poche ; 50)
ISBN 2-84146-885-2
Dewey : 811.5 : Albums et fiction. Romans. Aventures et voyages
Public concerné : Adolescents (à partir de 11 ans)

1

Je regardais Farida d'un air soupçonneux. Farida regardait par terre. Maman nous regardait tous les deux à tour de rôle avec une expression de plus en plus fâchée.

– J'ai rien fait, a dit Farida.

– C'est pas nous, ai-je ajouté.

– Alors, c'est moi !? a dit maman d'une voix trop haut perchée.

Elle avait entre les sourcils ces deux rides qui la vieillissent de dix ans. En général je lui fais remarquer et ça suffit à la désarmer, mais cette fois je n'ai pas osé. Elle avait vraiment l'air bouleversée. Pour un bout de savon. Elle a avalé sa salive, respiré un coup et repris d'une voix plus posée :

– Enfin, cette savonnette, elle n'est pas sortie du papier toute seule... C'est forcément l'un de vous deux qui l'a ouverte, ça n'est pas bien méchant, ce qui me déplaît...

Elle nous a laissé le temps de nous rattraper, mais à quoi ?

– ...

– ... Ce qui me déplaît vraiment, a-t-elle répété d'une voix menaçante après cette seconde de silence qui m'a paru durer dix minutes, c'est que vous vous croyiez obligés de me mentir.

Le mot *mentir* est tombé dans un silence de plomb. C'est le genre d'instant qui pèse des tonnes. Il faut des heures de plume pour peser aussi lourd que ces minutes de plomb.

Dans la cour on entendait la voix de la concierge. On ne comprenait pas ce qu'elle disait.

Farida se tortillait.

Maman ne la quittait pas des yeux en disant :

– Écoute Pierre, tu ne vas pas commencer à mentir pour une bêtise pareille.

J'ai failli m'écrier : « Eh maman, je suis là, tu louches ! » Mais cette fois encore, j'ai préféré me taire. Avec les parents, on n'est pas à égalité, on ne sait jamais s'ils vont rire ou se fâcher, et nous, on n'est que des enfants, alors on n'a rien à dire. Donc, je n'ai rien dit. Même si, d'habitude, ma mère prétend que les enfants ont le droit de s'exprimer. J'ai senti qu'elle se retenait pour ne pas nous secouer comme des pruniers. Finalement, elle a haussé les épaules. Elle a dû se rappeler que la vérité n'était pas une prune bien mûre, malgré l'*expression imagée*, comme elle dit, et qu'elle ne la ferait pas tomber comme ça.

Elle a conclu :

– Vous êtes deux imbéciles ! Je ne veux plus vous voir...

J'essayai de croiser le ragard de Farida, mais pas moyen.

– Allez, enlevez vos patins et disparaissez... a dit maman d'une voix triste.

On n'y avait pas touché, nous, à son morceau de savon et, franchement, il n'y a pas de quoi faire toute une histoire pour une savonnette neuve dont quelqu'un a déchiré l'enveloppe avant que la vieille soit finie.

Quelqu'un, oui, mais qui ? Tout le problème était là.

Depuis que Papa est allé habiter ailleurs, on vit tous les deux, maman et moi. Vu la taille de l'appartement, c'est plutôt mieux de ne le partager qu'à deux. À mon avis, l'idéal serait d'être à trois, ou même à quatre ou cinq, dans un appartement quatre ou cinq fois plus grand. Mais personne ne me demande mon avis, et la question n'est pas là.

Résumons.

Farida est arrivée en début d'après-midi. Maman nous a emmenés faire du patin. Personne d'autre n'est venu à la maison. En principe. Parce que, en pratique, il faut bien que quelqu'un ait déchiré le papier d'emballage de cette fichue savonnette. Et si ce n'est ni maman ni Farida ni moi, c'est quelqu'un d'autre...

Quelqu'un qui l'a laissée sur la cheminée.

J'étais assis sur la moquette en train d'enlever mes patins. Farida en faisait autant, mais elle était juste accroupie. J'ai jeté un coup d'œil en biais sur la maison. À part ça, la cheminée avait l'air à peu près naturel, il y traînait un bouddha ventripotent, assez lourd en cas d'attaque pour constituer une arme contondante, un paquet d'encens, une aquarelle, un appareil à perforer les feuilles, un vase vide et poussiéreux, bref, tout le bric-à-brac habituel...

– T'en fais pas... j'ai chuchoté à Farida. On va jouer dans ma chambre...

Mais elle a rangé les patins sans un mot et elle est partie. J'ai bien essayé de la retenir, elle a remué la tête de gauche à droite avec son air buté. Ses deux petites nattes noires se balançaient entre nous. Pas la peine d'insister. Farida, c'est pas une bavarde.

Elle habite dans le même immeuble que moi, dans un autre escalier. Elle a des tas de frères et sœurs, des grands et des petits, elle est en CM2, moi je ne suis qu'en CM1. On n'est pas dans la même école parce que dans le quartier il y a trop d'enfants, alors il n'y a pas assez de place pour tout le monde. Elle, elle va juste à côté, tandis que moi j'ai une dérogation. Je ne sais pas ce que ça veut dire exactement, sauf que je suis obligé de prendre le bus pour aller à l'école. Du coup mes copains ne viennent jamais jouer à la maison. Heureusement, il y a Farida. Elle vient presque tous les jours. Elle frappe un petit coup et elle entre, elle ne dit rien, elle regarde maman avec un air interrogatif et c'est maman qui fait tout : « Bonjour Farida, comment ça va, tu veux jouer avec Pierre, monte, il est chez lui... » Alors Farida grimpe à l'échelle, toujours sans rien dire ou presque.

Chez moi, c'est la mezzanine. C'est mon père qui l'a faite. Il voulait y dormir avec maman, mais maman ça ne lui plaisait pas et maintenant Papa est parti et la mezzanine, c'est mon coin à moi. En bas, c'est chez nous, et l'autre pièce, c'est chez ma mère. On a aussi une cuisine avec une baignoire. Les W.-C. sont sur le palier. Tout le monde le dit, c'est petit chez nous mais c'est drôlement sympa. La mezzanine n'est pas très haute. On peut juste y tenir assis, et encore, les enfants, pas les grands. Y'a mon matelas, mes jouets. Un petit hublot rond donne sur la chambre de ma mère, c'est comme une cabine de bateau, surtout avec les murs recouverts de lambris.

J'y suis monté tout seul puisque Farida était partie et j'ai continué mon Lego, elle en avait commencé un qu'elle n'avait pas fini. Comme j'avais besoin d'une brique jaune et qu'il n'y en avait plus, j'ai été obligé de défaire un bout de sa maison.

J'ai repensé à l'histoire du savon. J'ai repassé le film dans ma tête.

Farida est venue en début d'après-midi, elle est montée directement dans ma chambre, on a commencé à jouer et puis maman nous a proposé d'aller en patins à roulettes jusqu'aux Abbesses. Farida n'a pas de patins mais on lui passe ma paire d'avant, ceux qu'on met avec des sangles sur les chaussures, et moi j'ai les neufs avec des chaussures incorporées. Maman dit que les premiers sont mieux parce que elle, quand elle était petite, elle avait les mêmes, et qu'on peut les régler à la taille qu'on veut. N'empêche que je préfère les miens.

À ce moment-là, il n'y avait pas de savon sur le bord de la cheminée, juste le bouddha et le reste. J'en suis sûr parce que je jette toujours un coup d'œil sur son sourire avant de sortir. Il sourit tellement que ses yeux sont presque fermés. J'aime bien. Le voir sourire, ça me rassure !

J'aime bien aussi aller patiner aux Abbesses. On traverse le boulevard Barbès comme on traverse un fleuve et on se retrouve sur l'autre rive, côté Montmartre. On passe derrière chez Tati, on longe les boutiques du marché Saint-Pierre qui laissent déborder sur le trottoir des tonnes de tissus de toutes sortes. Devant le Sacré-Cœur, on slalome entre les groupes de touristes et puis on enfile la rue Yvonne-Le-Tac et on se retrouve sur la place. Avec ses arbres et son église, c'est une vraie place où les gens passent, se croisent, s'arrêtent pour bavarder. Elle n'est pas très grande mais on patine autour des bancs. Y'a aussi un square derrière, pour les petits, mais on ne peut pas faire de patin dedans, c'est que du gravier ou du sable. Et puis il est tout de suite à l'ombre à cause des maisons.

Maman avait emporté ses copies à corriger, elle s'est installée à la terrasse d'un café. Farida et moi on faisait la course. Elle est plus grande que moi mais elle va moins vite en patins.

Sur la place, il y a aussi des grands qui jouent au ballon, des touristes qui s'arrêtent en plein milieu pour regarder leur carte, des clodos avec leur bouteille. Et puis surtout, il y a des arbres et du soleil qui jouent ensemble.

On est resté jusqu'à ce que le soleil se cache derrière le clocher de l'église. Sur le chemin du retour maman nous a offert un petit pain au chocolat chacun, et puis on est rentré, et c'est là qu'il y a eu le coup du savon...

En me penchant, je peux voir le crâne chauve du bouddha. Il fait un signe avec sa main droite retournée, paume vers le ciel, le pouce collé à l'index. Maman m'a expliqué que c'était un geste de paix mais on dirait plutôt qu'il essaye d'expliquer quelque chose, comme mon copain Enrico qui parle toujours avec les mains.

Pendant une semaine il ne s'est rien passé d'exceptionnel, sauf que Farida n'est pas venue.

– Va la chercher, répétait maman.

C'est elle qui lui a crié dessus, elle n'a qu'à y aller elle-même !

Finalement, on s'est croisé dans la cour et je lui ai proposé de monter. Elle n'a pas dit non. On n'a pas reparlé du savon.

Maman a fait la gentille, pour bien montrer que c'était oublié, et comme il faisait beau, elle a proposé d'aller au square des Batignolles. Je voulais prendre les patins mais elle n'a pas voulu.

– Pas en autobus, c'est interdit.

On est monté jusqu'à Château-Rouge. Maman a voulu qu'on lui donne la main, comme des bébés, Farida d'un côté et moi de l'autre. Tout le long du boulevard les vendeurs nous saluaient et maman et moi on répondait. J'avais beau secouer la main pour qu'elle me lâche, rien à faire. Farida marchait tête droite, la main dans la main de maman, j'essayais de lui faire des signes mais elle ne me regardait même pas. On a attendu le 31. Je le connais bien, c'est l'autobus que je prends tous les matins pour aller à l'école. Tout seul. Alors, franchement, ma mère elle n'a pas besoin de me tenir la main. Enfin, heureusement, une fois qu'on a été dans le bus elle m'a lâché !

Aux Batignolles, on est allé voir les canards. C'était génial. Il y en avait deux qui plongeaient sous l'eau et ressortaient deux ou trois mètres plus loin. Ils n'arrêtaient pas de se lisser les plumes avec leur bec, et sous les ailes, et le jabot, et le ventre, et le jabot encore, et puis ils piquaient une petite tête, et ils recommençaient. Ils s'ébrouaient en battant des ailes comme s'ils allaient s'envoler. On est resté je ne sais combien de temps au bord de la pelouse. Farida ne disait rien, comme d'habitude, mais elle ne les quittait pas des yeux. Je suis sûr qu'elle n'en avait jamais vu. Moi non plus d'ailleurs. Et puis on a couru un peu entre les arbres, on a regardé les vieux pépés jouer aux boules et on a repris le bus.

C'est quand on est rentré qu'on a eu la vraie surprise.

Farida ne voulait pas venir à la maison. Maman a insisté.

On a enlevé nos chaussures pour monter dans ma chambre, Farida est passée la première, j'étais encore sur l'échelle quand maman a poussé un cri énorme.

J'avais rien entendu tomber, elle était debout à la porte de sa chambre, elle regardait à l'intérieur. J'ai eu vraiment peur. Qu'est-ce qu'elle pouvait bien voir de si terrible pour crier comme ça ?

2

J'étais pétrifié. Je la regardais, plantée sur le seuil, le doigt tendu vers quelque chose que je ne voyais pas.

– L'encrier... l'encrier, répétait-elle.

Un encrier ça n'a rien d'effrayant, à moins que l'encre ne se soit transformée en sang ou je ne sais quoi... J'ai jeté un coup d'œil vers le bouddha. Il n'avait pas bougé, heureusement, il avait toujours le même sourire excessif, et pas la moindre trace de sang sur son crâne de cuivre.

Je suis redescendu de l'échelle et j'ai attrapé le bouddha dans ma main droite à tout hasard. Je me suis avancé près de maman. Je n'ai rien vu d'épouvantable.

J'ai demandé :

– Quoi, l'encrier ?

Elle tendait le doigt vers son bureau :

– L'encrier, là, regarde, il est renversé !

Farida a passé une petite tête inquiète au-dessus du bord de la mezzanine.

Il y avait une bouteille d'encre ouverte par terre mais elle tenait sur le côté et il n'y avait pas tant d'encre que ça sur la moquette.

– C'est pas très grave... j'ai dit, mais maman ne m'écoutait pas.

Elle fronçait les sourcils, elle avait l'air de réfléchir à haute voix.

– La fenêtre de ma chambre était fermée... Il ne peut pas y avoir eu un courant d'air...

– C'est pas moi ! ai-je protesté d'avance.

Elle a haussé les épaules.

– Je sais bien que ce n'est pas vous... Vous n'avez pas mis les pieds dans ma chambre, et je peux t'assurer qu'il n'y avait pas d'encre par terre quand on est sorti !

Farida était redescendue aussi, elle regardait maman avec un air interrogatif.

– Je ne comprends pas, alors là vraiment je ne comprends pas, répétait maman qui ne va plus à l'école depuis longtemps et qui a perdu l'habitude de ne pas comprendre.

Alors j'ai compris.

J'ai compris que le mystère était revenu.

On a commencé à vérifier la maison avec plus d'attention. On s'est aperçu qu'il manquait plein de choses : les deux jeux électroniques que j'avais eus à Noël, mes chaussures de sport, un blouson, le stylo-plume de maman, l'appareil photo...

J'avais un peu la trouille. En principe je ne crois pas aux fantômes mais quand même.

Maman s'est souvenue de l'histoire du savon, et elle s'est excusée solennellement, auprès de Farida et auprès de moi.

– Je vous ai condamnés à tort, elle a dit.

Elle en a profité pour nous faire une petite leçon de morale comme quoi il ne faut jamais s'empresser de juger, même quand toutes les apparences sont contre quelqu'un, on peut toujours faire une erreur judiciaire.

– Une erreur quoi ? j'ai demandé.

– Une erreur judiciaire, une erreur de jugement, quoi !

Ensuite elle a raconté je ne sais quoi sur la peine de mort. Elle est bien gentille, maman, mais il faut toujours qu'elle en fasse un peu trop.

Elle répète souvent : « Il ne faut pas traiter les enfants comme des enfants mais il ne faut pas oublier qu'ils en sont. »

Je trouve ça très bien, surtout quand elle pique une colère contre un adulte qui nous bouscule sans dire pardon, ou quand elle me demande mon avis sur ce qu'on va faire le soir, mais parfois elle a tendance à oublier la deuxième moitié de la phrase...

Je l'ai un peu interrompue pour lui demander :

– Mais alors, quelqu'un vient chez nous quand on n'est pas là ?

Elle s'est arrêtée pile, elle est restée une seconde la bouche entrouverte et elle a répété d'un air inspiré :

– Quelqu'un vient chez nous quand on n'est pas là... Tu as raison ! Et puis avec une autre voix, une voix qui criait, elle a lancé : Qui ? Qui vient chez nous quand on n'est pas là ?

– C'est peut-être papa ? ai-je suggéré.

– Ton père qui renverse la bouteille d’encre et embarque ton jeu électronique... n’importe quoi !

Elle a quand même attrapé le téléphone et appelé mon père. Bien sûr il n’était pas là et elle a laissé un message sur son répondeur.

– Tu te souviens, l’autre fois, la cigarette sur le frigo ? m’a-t-elle demandé.

Je me souvenais très bien. Elle avait trouvé une cigarette blonde sans filtre posée sur le frigo. On était juste tous les deux. Elle s’était tournée vers moi en levant les sourcils. J’avais haussé les épaules.

– Je ne sais plus ce que je fais... avait-elle murmuré. Elle avait ramassé la cigarette et l’avait glissée dans son paquet, près de son lit.

Et la fois où j’ai cherché partout mon couteau suisse...

Jusqu’à présent notre visiteur était resté assez discret mais avec l’encre renversée, il n’y avait plus de doute possible. Quelqu’un venait chez nous quand on n'était pas là... La porte n'avait pas été forcée... En principe, personne n'avait de double de clé.

– La fenêtre... murmura maman.

– Tu crois ?

On a tous les trois tourné la tête vers la cuisine.

Farida aussi avait compris.

Question clé, il n'y a pas plus étourdie que maman. Une fois sur deux elle claque la porte en la laissant à l'intérieur. Résultat : petite séance d'acrobatie. Maman enjambe la fenêtre du palier et se glisse entre les barreaux par la fenêtre de la cuisine qui est juste poussée.

Quelqu'un avait dû la voir et faire pareil.

Quelqu'un de pas très gros, qui puisse passer entre les barreaux, comme maman, quelqu'un qui s'intéresse aux jeux électroniques... Je commençais à me sentir bizarre.

Farida n'était pas plus blanche que d'habitude mais ses yeux étaient deux fois plus grands. Un vrai petit hibou. Elle regardait maman sans bouger. J'avais toujours le bouddha dans la main. Je lui caressais le ventre en attendant je ne sais quoi.

Là, maman a été très bien. Elle a mis de la musique et elle nous a servi un goûter géant. Le radio cassette était toujours là, et le chocolat aussi.

– Pour le reste, je m'en occupe, a-t-elle décrété.

À mon avis elle venait juste de se souvenir que nous étions des enfants.

Farida est restée dîner et on n'a plus reparlé du savon ni de l'encre, ni de rien.

Quand Farida est rentrée chez elle, maman lui a proposé de la raccompagner mais Farida a remué la tête, on voyait juste son crâne, fendu par la raie claire qui sépare en deux masses frisées ses cheveux noirs. Je tenais la main de maman, je n'avais pas très envie de rester tout seul. Farida est partie. On l'a regardée traverser la cour et puis, hop ! je me suis lavé les dents et je suis monté chez moi. J'avais envie d'enlever l'échelle pour que personne ne puisse me rejoindre dans mon sommeil mais maman m'a traité de grosse bête.

Nous, on habite dans l'immeuble du fond, il est moins haut que les autres et les appartements sont plus petits mais on connaît presque tous les voisins, sauf ceux du premier qui changent souvent. Dans les autres escaliers aussi, il y a des gens qui sont propriétaires et qui ne déménagent jamais, et d'autres qui sont locataires. L'été, quand les fenêtres sont ouvertes, on entend les télévisions et les répondeurs, mais à part ça, la cour est plutôt calme. On n'entend pas les voitures du boulevard, même la nuit. On n'entend rien que ses pensées. Et cette nuit-là, les miennes n'étaient pas gaies.

Papa avait rappelé et, bien sûr, il n'avait pas mis les pieds chez nous. Ensuite ils se sont à moitié engueulés et maman a raccroché en disant qu'elle ne lui avait rien demandé et qu'elle se débrouillerait très bien toute seule.

– T'inquiète pas et dors, demain y'a école ! m'a-t-elle dit en éteignant la lumière.

Franchement, pour m'aider à dormir, elle aurait pu trouver mieux. J'avais subitement une folle envie de faire une partie de *Donkey Kong* sur mon jeu électronique. J'ai serré les dents pour ne pas pleurer. J'essayais de me souvenir... En revenant du square, est-ce qu'on n'avait pas croisé quelqu'un qui descendait, quelqu'un que je n'avais jamais vu dans notre escalier ? Il me semblait que j'allais retrouver, et puis maman m'a secoué. C'était l'heure d'aller à l'école.

3

Quand je suis rentré, j'ai trouvé Farida qui m'attendait en bas de mon escalier. Elle m'a tiré par la manche et elle m'a emmené vers la porte des caves de l'escalier B. La porte était fermée à clé. On n'a pas pu entrer.

On est ressorti dans la cour, il n'y avait personne, elle a levé le nez vers les étages supérieurs et elle a aussitôt reculé en me tirant en arrière comme si elle avait peur d'être surveillée. Elle m'a fait un petit signe, je n'ai pas bien compris ce que ça voulait dire. J'ai demandé : « Qu'est-ce qu'il y a dans les caves ? » mais elle n'a pas répondu. J'ai pas insisté. C'était pas la peine... Elle a fait un sourire. J'aime bien les sourires de Farida. On les devine plus qu'on ne les voit, elle a la peau si claire, les lèvres si pâles qu'on les remarque à peine, ses cheveux sont si noirs, si vivants, ils attirent toute l'attention. Des fois maman l'appelle « ma petite hirondelle de cheminée ». C'est une expression imagée. Elle nous a même montré l'image et comme on voyait pas bien le rapport elle a insisté : « Regardez le ventre des hirondelles de cheminée, il est tout blanc. » Je suis devenu tout rouge. J'ai regardé maman. Elle ne me regardait pas du tout. Le ventre de Farida, moi je l'ai vu, mais c'est un secret. C'est vrai qu'il est tout blanc, blanc comme de la crème Chantilly, blanc comme des draps blancs... Je n'écoutais plus trop maman qui était toujours dans ses histoires d'hirondelles. J'ai pensé qu'il n'y avait pas tant de choses que ça qui étaient blanches comme la peau de Farida, et noires comme ses cheveux.

Nous sommes montés ensemble à la maison. Maman était déjà là.

– Je suis allée au commissariat, a-t-elle dit, j'ai fait une déclaration pour l'assurance. C'est drôle, à part le stylo à plume et l'appareil photo, il ne manque que des jouets ou des affaires à toi... Bon, de toute façon, tout ça n'est pas grave ! Tes jeux électroniques, tu ne jouais plus avec.

Là, j'ai trouvé qu'elle exagérait. Faut pas dramatiser, je veux bien, mais enfin, c'était pas ses affaires. Et justement je n'avais jamais eu autant envie de jouer avec mon *Donkey Kong* !

Mais on n'était pas au bout de nos découvertes. Il me manquait aussi ma boîte de Meccano, et j'en profitai pour faire passer la calculatrice que j'avais perdue à l'école.

J'ai bien vu que le bouddha n'était pas dupe. Heureusement que le voleur ne l'avait pas pris lui aussi. Je ne sais pas pourquoi, mais j'avais l'impression que ç'aurait été encore pire que mon jeu électronique.

Quand on s'est retrouvé, tous les deux avec Farida, sur ma mezzanine, je lui ai demandé pourquoi elle avait l'air d'avoir peur.

Elle a mis un doigt sur sa bouche et elle a tendu la main vers l'arbre magique, on a commencé à jouer, après elle a voulu reprendre sa brique jaune et on s'est disputé. J'étais obligé de casser mon camion pour lui rendre. Finalement elle a mis une brique rouge à la place. Ça faisait bien aussi. Maman chantonnait d'une voix un peu forcée et puis elle a mis la radio. Il y a eu plusieurs coups de téléphone, j'ai essayé d'écouter mais elle ne parlait pas des vols.

Finalement Farida est remontée chez elle en me disant « à demain », ce qui, dans son cas, est un record de paroles. Je l'ai suivie des yeux jusqu'à ce qu'elle disparaisse sous le porche. Elle n'a pas levé la tête en traversant la cour. Le ciel était rose et j'avais un peu envie de pleurer. J'ai pensé que j'aurais dû lui rendre la brique jaune. Ça sentait bon la sauce tomate.

Maman m'a dit qu'elle me rachèterait un jeu électronique quand elle aurait touché les sous de l'assurance. « Un *Donkey Kong*, un vrai avec un double écran ? » j'ai demandé, elle a dit oui.

Cette nuit-là, j'ai rêvé que je faisais des Lego dans la cave avec Farida mais la lumière s'éteignait tout le temps et chaque fois qu'elle se rallumait, il manquait une pièce, à la fin on n'avait plus un seul Lego ni l'un ni l'autre, la lumière s'éteignait et on n'arrivait plus à rallumer. Je me suis réveillé et pendant un moment j'ai cru que j'étais encore à la cave.

– Pierre... Pierre, disait maman d'une voix endormie, arrête de gigoter et va faire pipi.

Alors je me suis rendu compte que j'étais dans mon lit, et qu'effectivement j'avais très envie de faire pipi.

En rentrant de l'école, j'ai traîné dans la cour, j'espérais que Farida allait passer mais la concierge m'a vu et elle est sortie de sa loge pour me demander si j'attendais ma mère...

Quand j'étais petit, j'avais carrément peur d'elle. Elle n'arrêtait pas de nous crier dessus, qu'on n'avait pas le droit de jouer dans la cour, qu'on avait encore laissé sortir le chat, qu'il ne fallait pas laisser les vélos en bas de l'escalier... Ma mère, ça la faisait rire. « Si tu laisses encore ton chat se balader dans l'escalier, tu peux faire une croix dessus ! » menaçait Maria. « Si tu touches à mon chat, je te tue ! »

répliquait ma mère avec son plus éclatant sourire. « T'as vu ce qu'il a fait dans le bas de l'escalier ? » râlait Maria. « Je nettoie immédiatement », répliquait maman, mais Maria haussait les épaules : « Je m'en suis occupée ! »

Maman se confondait en excuses. Maria faisait mine de maugréer. Et le chat continuait à se balader librement entre les étages. « Maria, c'est notre maman à tous ! » disait ma mère.

N'empêche que j'avais déjà une mère, ça me suffisait, deux dans le même immeuble, ça faisait beaucoup.

J'ai jeté un coup d'œil vers les fenêtres de la maison en traversant la cour. Tout avait l'air normal. Les marguerites se balançaient tout en haut de leurs tiges trop longues, et le géranium d'Alsace n'avait pas perdu son unique fleur rouge. Je sentis le regard de Maria dans mon dos, qui m'accompagna jusqu'à la porte. Là où j'étais maintenant elle ne pouvait plus me voir, je levai la tête encore une fois. La fenêtre de la cuisine avait l'air fermée, mais ça ne voulait rien dire. Pour la voir, il fallait être là où j'étais, dans le recoin, juste devant l'entrée de notre escalier, du milieu de la cour on ne pouvait rien voir. Ou bien à une fenêtre dans les étages...

Tout en montant l'escalier, je réfléchissais. Pourquoi Farida avait-elle voulu m'emmener dans les caves de l'escalier B ?

Je tapai contre la porte mais personne ne répondit. Je sortis ma clé de mon cartable pour ouvrir.

– Maman ? criai-je en entrant.

Elle n'était pas là. Je posai mon cartable en bas de l'échelle, enfilai ma clé autour de mon cou et redescendis.

Je filai comme une flèche de mon escalier à celui de l'escalier B. Maria m'avait-elle vu passer ? En tout cas, elle ne m'avait pas appelé à travers la cour pour me demander où j'allais. J'avais bien le droit de toute façon d'aller voir quelqu'un escalier B. Mais de descendre dans les caves, c'était moins sûr !

J'ai pris mon courage à deux mains, ou plutôt je l'ai mis dans une main, et avec l'autre, discrètement, j'ai baissé la clenche de la porte de la cave. Elle n'était pas fermée. Espérant que Maria n'avait pas vu mon manège, j'appuyai sur la minuterie et je descendis vers les caves. J'avais le cœur qui battait à cent à l'heure. Les marches arrondies étaient un peu usées en leur centre et j'avais peur de glisser.

Je m'arrêtai au milieu de l'escalier pour guetter. Il n'y avait pas le moindre bruit mais, à force d'attendre, je vis la lumière baisser. La minuterie allait s'éteindre ! Je remontai précipitamment, appuyai sur le bouton, et redescendis d'une traite jusqu'au couloir. Il n'y avait rien de spécial. La terre battue dégageait une odeur d'humidité. Les portes de bois étaient toutes bien fermées avec leur cadenas. On aurait dit une série de cellules.

Seule la cave du fond paraissait à moitié ouverte. J'y allai mais la porte n'avait plus de gonds, elle ne tournait pas, c'était juste un lourd battant de bois appuyé sur le chambranle. Au moment où je m'apprêtais à le soulever, la minuterie baissa à nouveau. Il me sembla alors entendre un bruit dans cette cave, une respiration... Je remontai à toute vitesse, en me promettant de revenir avec une lampe de poche. Et si possible avec Farida !

4

Pendant deux jours, la vie parut se dérouler dans le plus grand calme. Ma mère était à la maison quand je rentrais. Je la voyais à la fenêtre, comme si elle m'attendait.

Coincé entre Maria d'un côté et elle de l'autre, je ne pouvais rien faire d'autre que remonter directement. Farida n'était pas là et je n'osais pas aller la chercher chez elle. C'est drôle mais je n'y ai jamais mis les pieds. Je sais qu'elle habite au deuxième ou au troisième dans l'escalier B mais je n'y suis jamais allé, elle ne me l'a jamais proposé, et je n'ai jamais pensé à lui demander. C'est toujours elle qui vient à la maison. Moi, c'est l'escalier D. Il y a six escaliers dans notre immeuble. Trente-deux étages. Non, je ne me suis pas trompé dans mes calculs, mais mon immeuble, celui du fond, a deux escaliers et seulement quatre étages, alors faites le compte... ça fait pas mal d'habitants. Maria les connaît tous. Il y a des appartements où il ne reste plus qu'une vieille personne toute seule, elle le sait, et elle s'en occupe. Et puis il y en a d'autres où on se serre un peu plus tous les ans, comme chez Farida par exemple, qui a un nouveau petit frère ou une nouvelle petite sœur presque chaque année.

C'est pour ça que, même si ça n'est pas grand chez moi, c'est quand même tout le temps elle qui vient, quand elle vient !

Ça fait trois jours que je trimballe ma lampe de poche dans mon cartable. J'ai eu du mal à la trouver, elle était restée sous mon duvet. Manque de pot, la pile était morte. Finalement, j'ai trouvé une pile de rechange, je l'ai mise et ça marchait. Ce matin, j'ai failli la casser, elle est tombée quand j'ai sorti mon livre de lecture, la maîtresse a froncé les sourcils mais elle n'a rien dit. Je ne vais pas continuer comme ça toute la semaine !

Je ne vois pas la silhouette de ma mère à la fenêtre, j'en profite pour me diriger d'un pas ferme vers l'escalier B mais, arrivé devant la porte de la cave, je cale. Au moment où je m'apprête à faire demi-tour pour rentrer, la pluie se met à tomber et la honte me prend comme si elle tombait du ciel elle aussi. Je me tourne résolument et je pousse la porte. Fermée à clé ! Je n'avais pas pensé à ça. Pourtant la première fois que Farida a voulu m'y emmener, c'était fermé. En fait, il est normal que ce soit fermé. Alors pourquoi était-ce ouvert il y a trois jours ? Je me dirige cette fois sans hésiter vers l'escalier D. Maria peut bien me surveiller, je n'ai rien à me reprocher, je rentre chez moi, et c'est tout. L'eau me rafraîchit les idées. Si c'était ouvert, c'est qu'il y avait quelqu'un. D'ailleurs, j'ai entendu respirer dans la cave du fond... Mais pourquoi ce quelqu'un s'est-il caché en m'entendant venir ? Et pourquoi Farida n'est-elle pas venue depuis trois jours ?

Si ça se trouve, elle est déjà chez moi ! Ça arrive parfois. Je la trouve dans ma chambre en train de jouer. Elle m'accueille avec son air sérieux.

Je suis monté en vitesse mais elle n'était pas là. À sa place, il y avait un monsieur en gabardine qui discutait avec maman.

– Mon fils, a dit maman en me désignant, mais elle a oublié de me présenter le monsieur.

Elle avait un air bizarre.

– Commence tes devoirs, je m'occupe de toi tout de suite, ajouta-t-elle d'une voix de dame.

Une bonne odeur de gâteau et de miel traînait dans la maison mais ça devait venir de chez Fatima, en dessous, car visiblement il n'y avait rien en route dans la cuisine. Le monsieur avait posé son imperméable par terre, à côté de lui, il n'avait pas l'air très à l'aise sur le coussin que maman lui avait donné en guise de siège. Il avait aussi un grand parapluie noir que j'observai avec curiosité. Je sais que ça peut paraître bizarre mais je n'ai jamais vu un parapluie de près. C'est un ustensile qu'on n'utilise jamais chez nous. Comme ils discutaient sans s'occuper de moi, j'ai commencé à l'ouvrir un petit peu pour voir. On aurait dit un parachute, alors j'ai eu l'idée de sauter de la mezzanine avec le parapluie ouvert, pour vérifier si ça marchait.

Ça ne marche pas, et en plus, c'est drôlement fragile !

– Mon Dieu, s'est écriée maman, mais qu'est-ce que tu fabriques ?

Elle s'est précipitée sur mon parachute. Elle se retenait pour ne pas éclater de rire. Elle a pris un air navré, et pour que ce soit plus convaincant elle l'a dit :

– Je suis désolée, je crois... je crois qu'il a un peu tordu les baleines.

Je me demande où elle a vu des baleines. Ça doit être une expression imagée, comme elle dit.

– Ce n'est rien, a affirmé le monsieur en s'efforçant de refermer le parapluie. Bon, je ne vais pas vous déranger plus longtemps...

Il a commencé à se déplier. Visiblement il avait du mal. C'est le genre fil de fer, ça doit rouiller comme un rien, ces hommes-là ! Quand maman l'a attrapé par la main pour le tirer en avant, il a dégainé son parapluie comme une épée, heureusement elle a habilement paré le coup sans en avoir l'air. Il s'est rendu compte qu'il avait failli s'assommer contre la poutre de la mezzanine en se relevant. Il a marmonné quelque chose du genre :

– Je l'ai échappé belle...

Vaut mieux l'échapper belle que l'échappée laide, j'ai pensé, mais comme je suis un garçon bien élevé, j'ai gardé ma réflexion pour moi. Enfin, il a enfilé son imperméable et il est parti. On l'a regardé par la fenêtre, il a traversé la cour en essayant d'ouvrir le parapluie mais il avait beau le secouer dans tous les sens, le parapluie ne voulait pas s'ouvrir. Maman m'a dit :

– Arrête de rigoler comme une baleine !

Elle y tenait à ses baleines, mais elle rigolait autant que moi, alors pour lui montrer qu'il n'y avait pas qu'elle qui en connaissait, des expressions imagées, j'ai dit :

– Et en plus, il pleut des cordes.

On est reparti à rire comme des malades, sauf qu'on n'était pas malade du tout. J'ai demandé :

– Qui c'était ce mec ? Ton nouveau fiancé ?

– C'était... c'était...

Maman n'arrivait pas à parler tellement elle riait

– ... C'était l'inspecteur de police !

Au mot police, j'ai eu un hoquet.

– Je crois qu'il avait envie de visiter le quartier, a dit maman qui commençait à se calmer. Il vient juste d'être muté dans le XVIIIe. Il sort de l'école. Il arrive de Provins, je crois, alors la Goutte d'Or, ça le fait rêver...

C'est vrai que notre quartier il porte un joli nom, mais ce qui m'épatait le plus, c'est qu'un vieux comme lui sorte de l'école.

– Qu'est-ce que tu crois ? m'a expliqué maman, l'école ça ne s'arrête pas au CM2. Il y a des écoles après le lycée, des grandes écoles, des écoles d'ingénieur, d'inspecteur. Tu as le temps, tâche déjà d'entrer au collège, c'est pas gagné, va !

À ce moment-là on a entendu un petit coup frappé à la porte. C'était Farida. Il y avait quelques gouttes de pluie qui brillaient dans ses cheveux comme des diamants.

Farida est entrée, puis, au lieu de monter tête baissée sur la mezzanine comme elle fait d'habitude, elle est restée plantée devant maman et elle a dit la plus longue phrase de sa vie :

– C'est le garçon du quatrième qui vient chez vous. Il a mis les cartons dans la cave, j'ai trouvé ça.

Elle m'a tendu le couvercle du Meccano.

– Escalier C, elle a ajouté.

Et puis elle est repartie, comme si elle avait peur.

On a tourné l'emballage dans tous les sens, c'était bien mon Meccano, enfin, la boîte.

On se regardait, interloqués, maman et moi.

– Tu connais le garçon du quatrième ? m'a-t-elle demandé d'un ton rêveur.

Comme je faisais non de la tête, elle s'est décidée d'un coup.

– Je vais y aller ! elle a dit.

J'avais pas très envie de rester tout seul mais elle n'a pas voulu m'emmener.

Je l'ai attendue une minute, cinq minutes, un quart d'heure... J'avais beau regarder le sourire de bouddha, ça ne me réconfortait pas du tout. Au bout d'une demi-heure elle n'était toujours pas revenue et j'avais envie de le balancer par la fenêtre avec son gros ventre et son sourire niais.

Il pleuvait toujours. Un temps vraiment dégueulasse. Encore cinq minutes et je vais la chercher, me suis-je dit.

C'est à ce moment-là que je l'ai vue sortir de l'escalier C.

Elle avait une petite boîte orange à la main, mon *Donkey Kong* ! ai-je pensé aussitôt.

Je me suis précipité à sa rencontre dans l'escalier. J'étais trop content !

Elle, au contraire, avait une tête à faire peur !

– Ça va ? Qu'est-ce qui se passe ? lui ai-je demandé.

Elle m'a fait un petit sourire misérable. On est rentré tous les deux. J'ai vérifié. Elle avait l'air entière, pas de trace, rien.

En plus de mon jeu électronique elle rapportait aussi son stylo, mes baskets de sport, mon blouson...

– Tiens, elle m'a dit, j'ai pas tout retrouvé mais...

Je ne comprenais pas pourquoi elle avait l'air accablé. Elle aurait dû être contente, non ?

Je n'osais rien demander. Elle est restée un moment silencieuse et puis elle a poussé un grand soupir en disant :

– Le pire, tu vois, c'est quand sa sœur a dit : on le tape mais il pleure pas !

5

Personne ne savait exactement combien ils étaient dans cet appartement. Ils étaient arrivés depuis deux ou trois mois, avait expliqué la concierge à maman, et on en voyait monter, descendre, des hommes, des femmes.

Même les gosses, on savait pas combien il y en avait ni à qui ils étaient.

– Moi, ça me regarde pas, n'est-ce pas, avait ajouté Maria, qui ne supporte pas qu'il puisse se passer quelque chose dans l'immeuble qui ne la regarderait pas, mais si j'étais toi, je ne monterais pas ! Ils sont capables de t'accueillir avec un couteau aussi bien !

Maman avait souri.

– Si je ne suis pas de retour dans une heure, appelle la police, avait-elle dit.

Maria avait haussé les épaules. La police, ce n'était pas son genre. Elle la faisait très bien elle-même.

Et maman était montée.

Elle avait frappé. Quelqu'un avait répondu, on n'avait peut-être pas vraiment dit « entrez » mais enfin elle avait poussé la porte et, comme ce n'était pas fermé, elle était entrée. Elle avait commencé par s'excuser de déranger. Il y avait en effet plusieurs personnes, des hommes, des femmes, mais aucun enfant.

Ils étaient tous assis autour d'une table sur laquelle brûlait une bougie. Les gens la regardaient sans rien dire. Personne n'a répondu à ses excuses. Elle ne savait pas très bien comment expliquer ce qu'elle venait faire là, ni à qui s'adresser, alors elle a parlé à la cantonade, dans l'air, à tout le monde... Elle disait qu'elle avait un enfant, et que les enfants ça fait des bêtises, on sait ce que c'est... Les gens la regardaient toujours sans rien dire, sans rien demander. Ils attendaient qu'elle continue. Elle était un peu perdue, elle ne savait même pas s'ils comprenaient le français. À la fin, elle a dit : « Peut-être avez-vous remarqué des choses que... des objets qui... enfin des choses que vous n'avez pas achetées, dont vous ne savez pas d'où elles viennent... » Elle bafouillait un peu, elle souriait tout en parlant. « J'avais pas peur, mais je me sentais tellement bête ! » Aussitôt, une femme d'une quarantaine d'année s'est levée et a dit avec une expression neutre : « Oui oui... » et elle lui a tendu mon jeu, son stylo, un appareil radio... Maman lui a rendu la radio, elle n'était pas à nous. Elle a demandé aussi pour l'appareil photo, la femme a appelé : « Paul ! » et une seconde fois plus fort : « Paul ! »

Un garçon de quatorze ans à peu près est entré, il regardait ses pieds. Il a rapporté encore une ou deux choses... il manquait toujours la calculatrice et le second jeu électronique.

– Pour la calculatrice, j'ai dit...

Mais maman était dans son histoire, elle n'a même pas entendu l'interruption. Elle continuait :

– Allez voir, m'a dit la femme en me désignant la pièce d'à côté. J'ai suivi le garçon dans la chambre. Il n'y avait rien que des matelas par terre, des vêtements en désordre. Tes chaussures étaient dans un coin, je les ai ramassées. Personne ne disait rien. Je lui ai demandé ce qu'il avait fait du reste mais pas moyen de lui tirer un mot. À un moment, ça m'a énervée qu'il reste planté en face de moi, l'air inexpressif, je l'ai pris par les épaules. On était dans le noir, je l'ai secoué un peu. J'ai dit : « Tu mériterais une bonne claque et c'est tout ! » C'est à ce moment-là que quelqu'un, sa sœur aînée à mon avis, a dit : « On le tape, vous savez, mais il pleure pas ! » Les bras m'en sont tombés.

J'ai pas pu m'empêcher de regarder ses bras qui étaient bien là.

Encore une de ses expressions imagées.

L'inspecteur est revenu. Sans parapluie. Il avait l'air plus sûr de lui, il a dit à maman que son enquête avançait doucement.

Il voulait qu'elle lui fasse la liste de tous les enfants qui étaient venus jouer avec moi depuis un mois.

Maman se tortillait un peu. On voyait bien qu'elle n'était pas à l'aise. Enfin, moi je le voyais.

– On m'a parlé d'une petite de l'immeuble qui traîne toujours dehors et qui vient souvent chez vous, non ? a dit l'inspecteur, et les ailes du nez de maman se sont soulevées doucement.

Elle était drôlement belle. J'ai cru qu'elle allait le gifler mais au contraire elle a fait un grand sourire, presque aussi grand que celui du bouddha, ses yeux brillaient. Et c'est de sa voix la plus calme, la plus posée qu'elle a dit :

– La « petite qui traîne toujours dehors » comme vous dites, est notre amie, elle était avec nous au moment du cambriolage. Je crains que vous ne soyez sur une fausse piste...

L'inspecteur a insisté.

– Elle n'est pas obligée d'avoir fait le coup elle-même, elle a pu servir simplement d'indicatrice, vous savez, ces gens-là...

Il y a une expression que ma mère ne supporte pas – faut dire qu'elle n'est pas imagée ! – c'est : « ces gens-là ». Elle monte tout de suite sur ses grands chevaux, maman, quand elle entend ça, et alors, gare à la charge de cavalerie, parce que ses chevaux ont beau n'être qu'une image, la charge, elle, est bien réelle ! Pourtant, cette fois, elle n'a rien dit, j'ai juste vu les ailes de son nez se soulever un peu plus. Elle a interrompu l'inspecteur d'une voix trop douce :

– Écoutez, lui a-t-elle dit, je suis très touchée de la peine que vous prenez, mais franchement, vous avez sûrement d'autres chats à fouetter et je ne voudrais pas vous faire perdre votre temps...

Je l'imaginais courant après les chats de la villa Poissonnière pour les fouetter. J'ai retenu mon rire.

– Mais pas du tout, a protesté l'inspecteur, pas du tout, je passais, j'ai pensé que...

Maman s'est levée.

– Fallait pas vous déranger, lui a-t-elle dit.

– Oh ! mais ça ne me dérange pas du tout, a-t-il répondu, c'est mon travail, et c'est un plaisir, a-t-il ajouté en me jetant un coup d'œil en coin.

– Qu'est-ce que tu fais là, toi ? m'a-t-elle demandé comme si elle venait juste de s'apercevoir de mon existence. Excusez-moi, a-t-elle dit à l'inspecteur en se retournant vers lui, il faut que je m'occupe de mon fils.

– Je vous en prie...

Il reculait vers la porte et, bien sûr, ça n'a pas loupé, il s'est pris la poutre dans la nuque sans que personne fasse un geste pour l'aider.

– Oh ! pardon... a-t-il bafouillé.

Maman a fait comme si elle n'avait rien vu, elle ne s'est même pas inquiétée de savoir s'il s'était fait mal. Elle a continué à avancer vers lui, l'obligeant à reculer vers la sortie.

Elle a attendu qu'il soit dehors pour demander avec un petit air comme ça :

– Et si jamais vous découvrez le voleur, que se passe-t-il ?

Je m'étais glissé derrière elle pour ne rien perdre de la scène.

– Ah, ça, vous pouvez compter sur moi, madame !

Il avait la main sur le cœur, une expression imagée en personne, l'inspecteur, on aurait dit la couverture de mon livre sur le Moyen Âge !

– Et si...

Maman tournait autour du pot, on voyait bien qu'elle ne savait pas comment s'exprimer, en couleurs ou en noir et blanc.

– Si... si j'apprends quelque chose et que je veux retirer ma plainte... ?

– Retirer votre plainte, non, non, ça n'est pas possible...

L'inspecteur avait l'air d'un chat auquel on vient d'arracher le petit mulot terrifié qu'il tenait délicatement entre ses griffes, et ce n'est pas une expression imagée, mais l'expression même de la réalité comme je l'ai vue !

– Il faut que les choses suivent leur cours ! a-t-il ajouté fermement. Vous savez...

Il était lancé, maman commençait à refermer la porte mais lui continuait à parler.

Que si maman avait du nouveau, il fallait qu'elle lui téléphone, qu'elle lui téléphone *immédiatement*, qu'il s'en occuperait *personnellement*... Il lui a tendu une carte par l'entrebâillement de la porte.

– Il y a mon numéro personnel, insistait-il, n'hésitez pas...

– Très bien, très bien, a dit maman. Eh bien ! inspecteur, je vous remercie beaucoup, je ne manquerai pas de vous faire signe ! Et elle a refermé la porte.

On a entendu deux petits coups.

Maman a rouvert, furieuse. Cette fois, c'est sûr, elle allait vraiment le gifler.

C'était Farida. Elle avait l'air inquiète, et quand elle a vu maman ouvrir comme une furie, elle a reculé de trois pas, j'ai cru qu'elle allait s'enfuir, heureusement maman l'a rattrapée par le bras en lui faisant signe de se taire, ce qui est une précaution inutile avec Farida. On entendait l'inspecteur descendre lentement l'escalier, comme s'il hésitait à partir, et puis finalement il a dégringolé le dernier étage. On s'est précipité à la fenêtre pour vérifier qu'il traversait la cour. Il s'est retourné une fois, on a eu juste le temps de se baisser pour ne pas qu'il nous voie, et puis il est sorti.

– Tu dors ?

La voix de maman était un peu étouffée, douce comme une peluche. Elle continuait :

– Je me demande...

Et comme je ne disais rien, elle s'est arrêtée. Je l'ai relancée :

– Qu'est-ce que tu te demandes ?

– Je me demande comment Farida a découvert notre voleur...

Pendant tout le dîner maman a essayé d'en savoir plus sur ce Paul mais Farida est restée quasi muette, comme d'habitude.

– Tu le connais bien ce garçon ? a demandé maman pour commencer.

Farida a remué la tête de gauche à droite et inversement.

– Tu sais s'il a des frères, des sœurs ?

Elle a haussé les épaules en signe d'ignorance.

Maman n'a pas désarmé :

– Mais il habite dans l'immeuble depuis longtemps ?

Farida a regardé maman avec désespoir.

– Un mois, un an ? insistait maman.

– Il... a commencé Farida, puis elle s'est arrêtée aussitôt comme si elle en avait déjà trop dit, et elle est devenue toute rouge.

J'ai senti mon cœur se serrer. Un flot de questions et un flot de larmes me sont montés dans la gorge en même temps, et j'ai serré les dents pour ravaler les deux. C'est vrai ça, comment elle savait, elle le connaissait bien, Paul ? Elle allait jouer avec lui dans les caves ?

Elle m'a jeté un coup d'œil à la dérobée et elle a baissé les paupières. J'ai repoussé mon assiette si brutalement que j'ai renversé mon verre.

– Pierre, fais attention, s'est exclamée maman, regarde ce que tu as fait !

Farida s'était déjà levée pour aller chercher une éponge. Maman a protesté.

– Laisse Farida, Pierre va le faire !

J'ai pris l'éponge des mains de Farida et elle m'a fait un sourire complice. Un merveilleux sourire. J'étais tellement soulagé que j'ai terminé mon assiette en trois coups de fourchette et que j'en ai même repris. Tout en mangeant, je me suis lancé dans une histoire abracadabrante que j'ai fait durer jusqu'à la dernière cuillère de yaourt.

– On peut monter jouer cinq minutes, s'il te plaît maman ?

Farida était en train de débarrasser, je l'ai aidée, maman nous regardait en riant :

– Voyez-moi ces deux-là, des vraies petites fées du logis. Juste un peu trop polis pour être honnêtes ! Allez ! Laissez-moi finir et montez chez vous mais pas plus tard que neuf heures, hein !

Dès qu'on s'est retrouvé tous les deux sur ma mezzanine, j'ai mis une cassette.

– Pas trop fort, a crié maman pour couvrir le bruit de l'eau.

– Merci... a chuchoté Farida.

J'ai attaqué direct :

– Paul, c'est ton amoureux ?

Elle a ri.

– Mon amoureux ? T'es fou ! C'est mon frère...

– C'est ton frère ?

Elle se foutait de moi ou quoi ?

– T'es amoureuse de ton frère ? j'ai demandé.

– T'es bête ! Non, c'est mon frère qu'est copain avec lui. Tu comprends, mon frère, Kacim, celui qui a quatorze ans, il fume en cachette parce que si mon père le savait, il le tuerait, alors, il dit qu'il descend les poubelles, et puis, il va à la cave pour fumer sans que personne le voie. C'est comme ça qu'il a fait la connaissance de Paul. Et Paul lui a proposé de venir avec lui chez toi. Alors mon frère, il me l'a dit, et voilà...

J'étais tellement bouleversé à l'idée que Farida ait un amoureux que je n'ai même pas remarqué qu'elle avait violé toutes les règles de la discrétion pour me rassurer.

– Alors, c'est qui ton amoureux ? j'ai insisté.

Elle m'a regardé comme si j'étais un débile profond. On entendait l'eau couler dans la cuisine.

– J'ai fini, je vais dans ma chambre, a claironné maman. Dans un quart d'heure, je reviens sonner le départ !

On a laissé la porte se fermer. Faudel chantait : *Tellement je t'aime, je pense à toi, tellement je t'aime, je rêve de toi...*

J'étais assis dos au mur, avec les jambes repliées. Farida était agenouillée à côté de moi. Sa jupe recouvrait entièrement ses jambes, ses mains reposaient dessus, elle les regardait en parlant :

– Tu sais, chez eux, ils sont douze avec les oncles, les nièces... Encore plus que nous. Et ils n'ont même pas l'électricité, on leur a coupé parce qu'ils n'ont pas payé.

Elle ne disait plus rien, mais je sentais qu'elle avait encore des mots en réserve. Pour une fois, le silence ne suffisait pas. Je ne l'ai pas bousculée. Un quart d'heure, quand on s'y prend bien, ça peut durer longtemps...

Elle a relevé les yeux et elle m'a regardé. Moi, ça faisait un moment que je l'observais, ses longs cils recourbés, les petites boucles qui s'échappent de la masse noire de ses cheveux pour dessiner une virgule sur son front, l'éclat nacré de sa peau...

– Mon frère...

J'ai détourné les yeux pour qu'elle puisse continuer tranquille.

– Mon frère, il est venu une fois ici, avec Paul...

Cette fois, c'est elle qui m'observait. Je sentais comme un petit laser se balader sur mon cou.

J'ai avalé ma salive. Elle avait un drôle de goût.

– Tu ne le diras pas à ta mère, dis !

J'aurais bien voulu répondre : « Non, bien sûr ! » mais je n'en étais pas très sûr justement. Alors j'ai pris un air indifférent pour demander :

– Et il a trouvé ça comment, chez moi, ton frère ?

– Il a dit que c'était le paradis !

Je lui ai fait un sourire incrédule. Le paradis... C'est sympa, je veux bien, mais enfin, faut pas exagérer non plus. Mes copains d'école ils ont presque tous une chambre pour eux tout seuls, avec une porte, un placard... Bien entendu, j'ai rien dit. Elle a continué :

– Tu sais, au début, il ne touchait à rien, et puis...

J'ai essayé d'imaginer ce que ça pouvait être d'habiter à douze dans un espace comme celui-ci, mais j'ai pas réussi.

Je ne sais pas si maman a réussi, mais quand je lui ai tout raconté, elle a dit :

– Je crois que si j'avais quatorze ans, on pourrait toujours me taper dessus, je ferais tout ce que je peux pour ne pas rester pauvre quand tout autour de moi dégorge de richesse !

6

À u début, je ne voulais pas qu'elle lui en parle. Bien sûr, je n'avais rien promis, mais quand même. J'avais peur que Farida ne veuille plus jamais venir chez moi si elle apprenait que j'avais tout raconté à ma mère.

– Et tu crois que tu te sentiras bien avec elle, si tu lui caches ? m'a demandé maman. Et puis, il faut faire quelque chose pour Paul, ensemble tous les trois.

Faire quelque chose pour Paul ? Je ne comprenais pas ce qu'elle voulait dire.

– Eh bien, justement, parlons-en, et tu comprendras, mais parlons-en tous ensemble !

Quand Farida est arrivée, c'est maman qui lui a ouvert. Moi je faisais semblant d'être plongé dans un album, allongé sur la moquette du bas, mais j'étais incapable de lire un mot.

– Assieds-toi, a dit maman à Farida. Tu veux boire quelque chose ?

Farida a secoué la tête sans rien dire, ses yeux couraient de droite à gauche sans regarder maman.

– Farida... a commencé maman.

Je ne sais pas comment elle s'y est prise exactement, mais Farida lui a tout raconté :

Paul, son frère, la cave, et ensuite elle est allée chez elle chercher son frère !

Et puis ils se sont enfermés tous les deux dans la chambre de ma mère pendant au moins une heure.

Quand elle a ouvert la porte, ça sentait la cigarette. Et je ne savais toujours pas ce qu'elle voulait faire « pour Paul ».

Aujourd'hui papa est venu changer la serrure. Il a mis une poignée qu'on peut tourner de l'extérieur, comme ça, on ne risque plus de se retrouver enfermé dehors. Et puis il a posé deux verrous de sécurité. Il paraît que c'est obligatoire pour l'assurance. Maman avait fait le grand ménage. Elle avait même astiqué le bouddha avec un produit exprès. Maintenant il a le nez qui brille, et le menton, et aussi son petit ventre rond et les plis de son pagne. Et il est encore plus doux à caresser.

Elle avait préparé un gâteau au yaourt pour le goûter. Papa s'est moqué d'elle.

– T'as pas vraiment fait de progrès en matière culinaire, ma pauvre chérie, lui a-t-il dit.

Elle a haussé les épaules sans répondre.

Farida est arrivée.

– T'es drôlement mignonne, toi, comment tu t'appelles ? lui a demandé papa.

Farida est devenue toute rouge.

– N'aie pas peur, je ne vais pas te manger, s'est esclaffé papa.

Mais justement, elle avait peur, Farida, ça se voyait, et papa, ça le faisait rire.

– Tu voudrais bien pouvoir te cacher dans les jupes de Clarinette, mais manque de pot, elle est en pantalon, comme d'habitude, alors t'as beau pas être épaisse, tu dépasses, ma pauvre cocotte.

Maman ne supporte pas qu'il l'appelle Clarinette et, visiblement, Farida n'avait aucune envie non plus d'être sa pauvre cocotte. Elles le regardaient toutes les deux d'un air furibard.

– Oh ! là, là ! les femmes ! a soupiré papa.

– Ah ! là, là ! les hommes ! a dit maman en riant. Bon, qui veut de mon gâteau au yaourt ?

– Moi ! avons-nous crié en même temps papa et moi.

– Et toi, Farida, tu n'en veux pas ? a demandé maman.

Farida a hoché la tête pour dire qu'elle en voulait bien.

À ce moment-là quelqu'un a frappé. Deux petits coups discrets. Papa avait encore le tournevis à la main. Il est allé ouvrir la porte.

– Excusez-moi, a dit une voix d'homme, je suis bien chez madame... la voix hésitait, madame...

Maman s'est avancée derrière papa. Elle brandissait le couteau avec lequel elle s'apprêtait à couper le gâteau.

– Ah, inspecteur, quelle surprise ! a dit maman ! Entrez, je vous en prie !

Papa s'est écarté pour le laisser passer.

– C'est l'inspecteur dont je t'ai parlé, chéri, tu sais bien... disait maman.

Papa l'a regardée avec des yeux ronds. Visiblement elle ne lui avait jamais parlé du moindre inspecteur. Et il y avait belle lurette qu'elle ne l'appelait plus chéri.

– Je ne veux pas vous déranger, a dit l'inspecteur en reculant.

– Mais vous ne nous dérangez pas du tout, n'est-ce pas chéri ? Comme vous le voyez, mon mari est en train de changer les serrures... Vous prendrez bien un peu de gâteau avec nous ? insistait maman, très pince-sans-rire.

Elle brandissait toujours son couteau et c'est sous la double menace du tournevis et du couteau que l'inspecteur est entré. Il a évité de justesse la poutre de la mezzanine et il est resté planté au milieu de la pièce.

Papa lui a tendu la main mais l'inspecteur était empêtré avec son parapluie et un bouquet de fleurs, et papa est resté la main en l'air. Enfin l'inspecteur a réussi à mettre les fleurs et le parapluie dans la même main, et il s'est emparé de celle de mon père qu'il a secouée vigoureusement.

– Merci, je... a-t-il bafouillé.

Maman lui tendait déjà une part de gâteau.

– Non, non, pas de gâteau, merci... Je passais... je passais devant chez vous, je voulais savoir si vous aviez du nouveau...

– Du nouveau ? a susurré maman.

Il avait le dos à la fenêtre et il reculait encore. J'ai cru qu'il allait tomber en arrière. J'ai voulu le prévenir pour le parapluie. Peut-être qu'il ne savait pas que ça ne marche pas.

– Je voulais m'excuser pour la dernière fois, a-t-il dit.

Maman l'a regardé avec des yeux ronds. Un policier qui s'excuse, ce n'est pas banal.

– Je ne voulais pas être blessant, vous savez... a-t-il ajouté timidement.

Encore un qui louchait un peu, il parlait à maman les yeux braqués sur Farida. Et puis il a fait un sourire qui le rajeunissait d'au moins dix ans.

Et la chose étrange, c'est que Farida a souri aussi. À cause des fleurs peut-être, qu'il écrasait contre le manche du parapluie.

– Je vous laisse, bon après-midi ! a-t-il dit.

Il s'est baissé pour passer sous la poutre et il est parti.

– Je vous ferai signe, a dit maman qui tenait toujours son couteau à la main.

Comme d'habitude, on s'est tous mis à la fenêtre pour le regarder partir mais il ne s'est pas retourné. Il tenait toujours son parapluie serré contre le bouquet.

– Qu'est-ce que c'est que ce zouave ? a demandé papa.

Maman a mordu sans répondre dans la tranche de gâteau qu'elle avait coupée pour l'inspecteur.

– Alors, personne n'en veut, de mon gâteau ? a-t-elle demandé la bouche pleine.

On a partagé le reste du gâteau avec des cris de joie et puis Farida et moi on est monté jouer sur la mezzanine. J'ai donné toutes les briques jaunes à Farida pour qu'elle puisse construire son mur, et moi j'ai fait un camion de pompiers avec les briques rouges. C'était super.

Papa et maman ont encore trouvé le moyen de se chamailler.

– Pierre !

Je me suis retourné d'un coup. C'était Maria qui m'appelait. Qu'est-ce que j'avais bien pu faire ? Allait-elle m'attraper à cause des caves, l'autre jour ? Non, elle n'aurait pas mis trois jours pour m'épingler !

– Pierre, ta mère t'attend dans l'escalier B. Au quatrième...

Ma mère était retournée chez Paul ? Et en plus, elle voulait que j'y aille ! Si ce n'avait pas été Maria, je crois que je n'y aurais pas cru.

Je suis monté en traînant un peu les pieds. C'est bête, hein, mais la différence entre trois étages et quatre étages, ce n'est pas juste un étage, c'est un quatrième étage, et c'est beaucoup plus fatigant qu'un premier étage !

J'en étais là de mes réflexions quand j'ai entendu des éclats de voix de l'autre côté de la porte. Des voix d'hommes et de femmes parmi lesquelles je n'arrivais pas à distinguer celle de ma mère. Je me demandais encore si je devais frapper que j'étais déjà entré sans frapper. La table avait été poussée dans un coin. Elle était couverte de nourriture, acras de morue et de crabe, petits boudins piquants, gâteaux à la noix de coco. Une énorme bassine de punch trônait au milieu. Quelqu'un éclata de rire dans la pièce d'à côté. Ma mère, vêtue d'une grande robe à fleurs, en sortit en riant aussi. Elle me vit, planté devant la porte.

– Mon fils ! présenta-t-elle.

Et tout le monde applaudit. Une bonne dizaine de personnes, enfants, vieux, hommes, femmes !

Une guirlande avec des ampoules de toutes les couleurs était accrochée à une espèce de laurier-rose sans roses. C'était Noël sans Père ni cadeaux, mais Noël quand même.

Farida et son frère arrivèrent un peu plus tard.

C'était la première fois que je voyais Farida danser. Elle avait attaché un foulard autour de ses reins, et tout le monde tapait dans ses mains. Il y avait aussi une très vieille femme qui dansait comme elle. Ma mère a essayé mais on aurait dit qu'il lui manquait un roulement quelque part en dessous de la taille.

À un moment, on a entendu quelqu'un crier dans la cour :

– C'est pas bientôt fini tout ce raffut, non ?

Et tout le monde a ri.

C'était madame Guichard. Elle faisait plus de bruit en criant que nous, mais bon ! On a baissé la musique, et puis maman a dit qu'il était temps qu'on rentre. Tout le monde s'est embrassé.

Kacim m'a serré la main. Paul aussi.

7

En arrivant devant la porte, maman a cherché sa clé, elle l'avait oubliée. Heureusement, j'avais la mienne. Je l'ai tournée dans la serrure, j'ai baissé la poignée. Impossible d'ouvrir.

– Tourne dans l'autre sens, m'a dit maman, tu connais ton père, il a dû monter la clenche à l'envers.

J'ai fermé, la porte s'est ouverte.

– Mais alors, c'était pas fermé !

Maman a haussé les épaules en signe d'indifférence.

Vous aurez remarqué que le haussement d'épaules est un signe subtil qui peut traduire une gamme de sentiments variés, de l'ignorance à l'indifférence, en passant par le mépris, la colère, etc.

Sur la cheminée était posé un magnifique bouquet de pivoines. Certaines étaient encore en boutons, d'autres avaient éclaté dans une débauche de rouge carmin qui tranchait splendidement sur la peinture blanche de la cheminée.

On s'est regardé, interloqués. D'une voix hésitante, elle a suggéré :

– Ton père ?

J'ai répété :

– Mon père ?

Mais l'accent interrogatif n'était pas posé au même endroit. Chez elle, ça voulait dire : est-ce que c'est ton père qui a déposé ce bouquet sur la cheminée ?

Et chez moi, ça signifiait très clairement : pourquoi mon père aurait-il déposé un bouquet sur la cheminée ?

C'est fou ce qu'on peut dire juste avec la voix, l'intonation...

Je ne pouvais pas répondre à sa question mais elle a répondu à la mienne.

– Pour me séduire, cette blague ! Il sait très bien que je suis incapable de résister à un bouquet de fleurs.

À ce moment-là, le téléphone a sonné. Elle a décroché. On n'avait même pas refermé la porte encore. On pouvait l'entendre dans tout le couloir :

– Inspecteur !

Elle riait. J'ai fermé sans faire de bruit et je suis resté à côté d'elle. Elle ne faisait pas attention à moi. Ses yeux brillaient. Elle était presque aussi belle que quand elle s'était mise en colère.

– Vous ne manquez pas de culot en tout cas ! s'est-elle exclamée.

Je ne sais pas ce que l'inspecteur lui a dit mais elle a répondu :

– Ce n'est pas une raison !

Et puis :

– Séparés, mais nous nous entendons très bien !

Si c'est de mon père qu'elle parlait, elle exagérait un tout petit peu question entente...

– Ne quittez pas, je vais vous prendre à côté... Tu raccroches s'il te plaît, m'a-t-elle demandé.

Et elle a disparu dans sa chambre. J'ai raccroché et je suis allé la rejoindre. Elle m'a fait signe de sortir mais je n'ai pas bronché.

– Excusez-moi, a-t-elle dit à l'appareil. Et à moi : Tu peux sortir de ma chambre s'il te plaît !

J'ai encore entendu :

– D'accord, oui, si vous voulez, entendu, avec plaisir, pourquoi pas...

Et puis j'ai refermé la porte de sa chambre et j'ai mis la musique très fort, exprès.

Elle s'est décidée à sortir un quart d'heure après.

– C'était l'inspecteur ? j'ai demandé l'air indifférent.

– Bravo, quel flair ! Un vrai détective !

J'ai grogné. J'ai horreur qu'elle se moque de moi comme ça.

– Eh bien non, monsieur je-veux-tout-savoir, ce n'était pas l'inspecteur. Tu apprendras qu'il n'y a plus d'inspecteur dans la police, c'est fini. Désormais les enquêtes sont menées par des capitaines. C'était le capitaine Parapluie !

Elle avait un sourire d'arc-en-ciel. J'ai carrément eu peur :

– Tu lui as tout raconté ?

Elle m'a regardé comme si j'étais un débile mental. Deux fois dans la même semaine, ça commençait à faire beaucoup.

– Je lui raconterai quand il aura démissionné. En attendant, je trouve que pour un flic, il ne manque pas de poésie, non ?

M'étonnerait qu'il démissionne, mais enfin, sait-on jamais ?

J'ai jeté un coup d'œil sur la cheminée. Le bouddha avait l'air d'aimer méditer à l'ombre des pivoines. La clé de maman était posée juste à côté, elle l'a prise en disant :

– Il paraît que je l'avais laissée dans la serrure.

Si ce livre t'a plu, tu peux lire aussi dans la même collection :

Thomas Scotto

Le baiser du serpent

n° 44 de la collection

Les parents de Salomé sont artistes dans un cabaret. Un soir, Dalila est singulièrement étouffée par son serpent. Un drame qui a tout l'air d'un meurtre. Qui pouvait en vouloir à la charmeuse de serpents ?

La Souris Noire
c'est toujours les meilleurs
auteurs du polar français
et aussi les grands
du polar anglo-saxon:

Conan Doyle, Jacques Futrelle,
William Irish,
Charlotte Armstrong,
George Chesbro...

William Irish

Une incroyable histoire

n° 25 de la collection

Buddy rapprocha davantage sa chaise et se pencha vers l'oreille de son père :

– Mais, p'pa, haleta-t-il, cette nuit, ils ont tué un homme là-haut ! Ils ont coupé son corps en morceaux et ils l'ont fourré dans deux valises !

Le père s'arrêta de manger, puis posa couteau et fourchette. [...]

– Mary, [...] il recommence ! Je croyais pourtant t'avoir dit de ne pas le laisser retourner au ciné. »

Pourtant cette fois, Buddy n'invente rien.

Un suspense remarquable, qui ne laisse pas une seconde de répit au lecteur.

souris noire

Dans la même collection

Achevé d'imprimer sur Cameron
par Bussière Camedan Imprimeries
à Saint-Amand-Montrond en novembre 2000
Conception graphique couverture :
Didier Thimonier
Dessin de la Souris noire : Lewis Trondheim
Typo dessinée par Anne Ladevie
Dépôt légal : novembre 2000
N° d'impression : 004953/1
Loi n° 49.956 du 16 juillet 1949
sur les publications destinées à la jeunesse